Y0-BSL-382
03/2020

АЗБУКА

Патрик
Зюскинд

# СРАЖЕНИЕ

Иллюстрации
Жан-Жака Семпе

Санкт-Петербург

УДК 821.112.2(494)
ББК 84(4Шва)-44
З 98

Patrick Süskind
EIN KAMPF
With illustrations by Jean-Jacques Sempé


Перевод с немецкого Эллы Венгеровой

Иллюстрации Жан-Жака Семпе

Оформление обложки Вадима Пожидаева



ISBN 978-5-389-17187-9

# СРАЖЕНИЕ

Ранним вечером в августе, когда большинство посетителей уже покинули парк, в павильоне северо-западной части Люксембургского сада остались двое мужчин, сидевших друг против друга за шахматной доской. Дюжина зрителей наблюдала за партией с таким напряженным вниманием, что, несмотря на приближение часа аперитива, никто из них не собирался покидать место действия до окончания схватки.

Интерес завсегдатаев павильона вызвал игрок, предложивший партию, — молодой брюнет с бледным лицом и фанатичными темными глазами. Он не говорил ни слова, лишь время от времени вертел в пальцах незажженную сигарету, и вообще являлся воплощением небрежно-снисходительной элегантности. Никто не знал его, никто никогда не видел, как он играет. И все же с первого мгновения, с того момента, когда он, бледный,

вдохновенный, безмолвный, сел за доску и начал расставлять фигуры, все ощутили исходящую от него энергию, и каждого захватило чувство уверенности, что они видят перед собой совершенно исключительную, гениально одаренную, великую личность. Возможно, причиной тому была всего лишь привлекательность и одновременно отстраненность молодого человека, или элегантность его костюма, или его стройность и статность; или спокойствие и уверенность, сквозившие в манерах; или окружавшая его аура экзотичности — во всяком случае еще прежде, чем он двинул первую пешку, публика успела твердо увериться, что человек этот — первоклассный шахматист, который наконец-то совершит чудо, столь давно втайне ожидаемое всеми, а именно — побьет местного чемпиона.

Чемпион, довольно противный субъект лет шестидесяти, являл собою полную противоположность своему юному визави. Его синие брюки, шерстяная жилетка и затрапезная роба, пигментные пятна на руках, красный нос пьяницы и синие прожилки на физиономии выдавали типичного французского рантье. Никакой ауры у него не было, а кроме того, он был небрит. Он нервно затягивался окурком сигареты, беспокойно ерзал на садовом стуле и все время задумчиво тряс головой. Зрителям он был отлично известен. Все они уже играли против него, и все всегда проигрывали, и хотя он отнюдь не был шахматным гением, у него была раздражающая, выводящая из терпения, прямо-таки ненавистная манера не делать ошибок. Играя с ним, нельзя было надеяться, что он уважит партнера, допустив хотя бы малейшую оплошность. Чтобы его победить, нужно было действительно играть лучше, чем он. Именно это и предвкушали зрители: наконец-то появился маэстро, который положит на лопатки старого матадора, — ах, да что там! — ход за ходом разгромит его, растопчет, разнесет в пух и прах, заставит наконец испытать всю горечь поражения, отомстит ему за все наши проигрыши!

«Теперь держись, Жан! — кричали они уже во время первых ходов. — На этот раз тебе несдобровать! Его тебе не одолеть, Жан! Он тебе устроит Ватерлоо! Гляди в оба, Жан!»

«Увидим, увидим...» — отвечал старик, тряся головой и неуверенно продвигая вперед свою белую пешку.

Как только незнакомец, игравший черными, задумывался над очередным ходом, компания умолкала. Никто не дерзнул бы заговорить с ним. Все с робкой почтительностью наблюдали, как он молча сидит за доской, не отрывая сосредоточенного взгляда от фигур, как вертит в пальцах незажженную сигарету и наконец стремительно и уверенно делает свой очередной ход.

Начало партии протекало обычным образом. Затем последовали два размена пешек, причем после второго у черных на одной линии осталась сдвоенная пешка, что, в общем-то, считалось невыгодным. Однако же было очевидно, что незнакомец совершенно сознательно допустил сдвоенную пешку, чтобы затем освободить проход для ферзя. Ту же цель явно имела и последовавшая затем жертва пешки, что-то вроде запоздалого гамбита. Белые долго колебались, даже трусили, принимая эту жертву. Зрители обменялись многозначительными взглядами и задумчиво покачали головой, с интересом глядя на незнакомца.

Незнакомец на момент перестает вертеть сигарету, делает резкий взмах рукой — и действительно выдвигает ферзя! Выдвигает его далеко вперед, в сплоченные ряды противника, словно рассекая надвое поле битвы.

Вот это ход! Вот это размах! Да, они предполагали, что он пойдет ферзем, — но чтобы так далеко! Никто из зрителей — а они кое-что смыслили в шахматах — не отважился бы на такой ход. Но тем-то и отличается от них настоящий мастер. Настоящий мастер играет оригинально, рисково, решительно — просто совсем иначе, чем средний игрок. И потому, будучи обычным средним игроком, каждый ход мастера постичь невозможно, ведь... в самом деле непонятно, зачем нужно было проводить ферзя туда, где он оказался. Он не представлял там никакой опасности, разве что угрожал фигурам, которые со своей стороны были защищены. Но цель и глубокий смысл дерзкого хода скоро прояснятся, мастер знает, что делает, у него наверняка есть свой план, это легко заметить по его непроницаемому лицу, по уверенной, спокойной руке. После такого нетривиального хода ферзем даже самому неискушенному из зрителей стало ясно, что здесь за доской сидит шахматный гений, какого еще не скоро встретишь.

Жан, старый матадор, удостоился только саркастического сочувствия. Ну что он может противопоставить такому безудержному напору? Его-то все знали как облупленного! Может, он и попытается выбраться из этого дела, играя мелочно, мелко, осторожно и осмотрительно. ...И Жан, после долгих раздумий и прикидок, вместо того чтобы парировать великолепный ход ферзем столь же смелым ответным ходом, бьет маленькую пешечку на h4, оказавшуюся оголенной из-за продвижения черного ферзя.

Потеря второй пешки ничуть не смущает молодого человека. Не раздумывая ни секунды, он проводит своего ферзя на правый фланг, врывается в самое сердце боевых порядков противника и занимает поле, с которого может одновременно атаковать вражескую оборону — коня и ладью, а кроме того, оставаться в угрожающей близости от королевской линии. В глазах зрителей вспыхивает восхищение. Этот Черный — сущий дьявол! Все ему нипочем! «Он профи, — шепчут они, — гроссмейстер, виртуоз! Сарасате шахматной игры!» И с нетерпением ждут ответного хода, главным образом для того, чтобы прийти в восторг от очередной дерзкой выходки Черного.

sempé

А Жан медлит. Думает, терзается, раскачивается на стуле, дергает головой, так что тошно смотреть, — да ходи же ты наконец, Жан, делай свой ход и не пытайся затормозить неизбежное развитие событий!

И Жан делает ход. Дрожащей рукой он выводит из-под удара коня и ставит его на поле, с которого можно атаковать ферзя и ладью. Ну что ж. Ход неплохой. Ничего другого ему и не оставалось. Ведь он был зажат со всех сторон.

И мы все, кто тут стоит, сыграли бы точно так же. «Но это ему ничего не даст! — шелестит в воздухе. — Черный это предвидел!»

А рука Черного уже как ястреб проносится над полем, хватает ферзя и несет его... нет, не трусливо назад, как сделали бы мы, а вперед и направо, на единственное свободное поле. Невероятно! Все застывают от изумления. Никто не в состоянии постичь смысл этого хода, ведь теперь ферзь стоит у края доски, ничему не угрожает и ничего не защищает, стоит совершенно бессмысленно — но очень красиво, безумно красиво, никогда еще ни один ферзь не стоял так гордо и одиноко в рядах противника...

Жан тоже не понимает, какую цель преследует этим ходом его соперник, в какую ловушку хочет его заманить, и только после долгих раздумий, испытывая страшные сомнения, решается взять еще одну незащищенную пешку. Теперь, как подсчитали зрители, его положение на три пешки лучше, чем у Черного. Но разве в этом дело! Что значит это численное превосходство в борьбе с противником, способным мыслить стратегически, для которого имеют значение не фигуры, а развитие, ошеломительное молниеносное нанесение удара? Берегись, Жан! Ты еще будешь охотиться за пешками, ты даже не успеешь оглянуться, как очередной ход насмерть сразит твоего короля!

Ход за Черным. Незнакомец сидит спокойно, вертя в пальцах сигарету. Сейчас он думает немного дольше, может, на одну, может, на две минуты дольше обычного. Воцаряется полная тишина. Никто из окружающих не решается произнести ни слова, не решается даже взглянуть на доску, все взгляды устремлены на молодого человека, на его руки и бледное лицо. Кажется, что в уголках его губ уже змеится торжествующая улыбка. Едва заметное трепетанье ноздрей

предвещает великие решения. Каким будет очередной ход? Какой сокрушительный удар готовит маэстро? Сигарета замирает в пальцах, незнакомец наклоняется вперед (дюжина взглядов провожает его руку: сейчас он сделает свой ход, сейчас он сделает свой ход!) и передвигает пешку с g7 (кто бы мог подумать!)... пешку с g7 на... g6!

Наступает секунда абсолютной тишины. Даже старый Жан на момент перестает дрожать и ерзать. Публика готова разразиться аплодисментами! Зрители переводят дух, толкают соседа локтем в бок, видал? Ну и рисковый же парень! Ça alors! Вот это да! Оставляет ферзя ферзем и просто ходит пешкой на g6! Теперь, конечно, поле g7 свободно для его слона, ясное дело, через ход он объявит шах, и тогда... И тогда?.. Что тогда? Ну да — тогда... тогда, во всяком случае, с Жаном будет в ближайшее время покончено. Вы только поглядите, как он уже сейчас напрягся и задумался!

И в самом деле, Жан думает. Думает целую вечность. Тянет резину. Иногда рука его вздрагивает — и снова отдергивается назад. Ну давай же, мужик. Ходи наконец, Жан. Нам не терпится поглядеть на ответный ход мастера!

И вот, после пятиминутного раздумья, когда зрители уже шаркают ногами от нетерпения, Жан решается сделать ход. Он атакует ферзя. Он атакует черного ферзя пешкой. Оттягивает свой разгром. Как это по-детски. Черному нужно всего-то отвести ферзя на два поля, и все останется по-старому. Тебе каюк, Жан! Ты больше ни до чего не додумаешься, тебе конец...

Потому что Черный уже двигает — видишь, Жан, ему не нужно долго думать, теперь последует ответный удар! — Черный уже двигает... — и тут на какой-то момент все застывают, потому что Черный, вопреки всякому здравому смыслу, двигает не ферзя, чтобы увернуться от смешных наскоков пешки, а, следуя своему стратегическому плану, идет слоном на g7.

Они ошарашены. Все как бы из почтения отступают на шаг и с удивлением глядят на него. Он жертвует ферзя и ставит слона на g7! И делает это совершенно сознательно, спокойно и обдуманно, ни один мускул не дрогнул на этом бледном, вдохновенном и прекрасном лице. У них навертываются на глаза слезы, теплая волна захлестывает сердце. Он

играет так, как хотели бы, но никогда не решились бы играть они.

Они не постигают, почему он играет так, как играет, да это и не важно, они смутно догадываются, что в его игре есть самоубийственный риск. И все-таки они хотели бы уметь играть, как он: великолепно и победительно, с наполеоновским размахом. Не так, как Жан, чью трусливую, неуверенную игру они легко постигают, ведь и сами они играют так же, только чуть похуже; игра Жана рассудочна. Он играет как положено, по всем правилам, раздражающе блекло. А Черный каждым своим ходом творит чудеса. Он жертвует ферзем лишь для того, чтобы провести слона на g7, — когда еще увидишь такое? Они глубоко растроганы этим подвигом. Теперь он может играть как хочет, они не пропустят ни единого хода, они останутся с ним до конца, блистательного или горького. Теперь он их герой, и они любят его.

И даже у Жана, трезвого игрока, дрожит рука, когда он бьет ферзя пешкой. Чуть ли не робея перед блистательным героем, он тихо извиняется за свой вынужденный неблаговидный поступок: «Ну, если вы мне ее отдаете, сударь, придется мне... придется мне...» — и бросает

умоляющий взгляд на своего противника. Тот сидит с непроницаемым лицом и не отвечает. И старик, раздавленный, растоптанный, наносит удар.

Через минуту черный слон объявляет шах. Шах белому королю! Растроганность зрителей переходит в восторг. Все уже забыли о потере ферзя. Все мужчины, как один, болеют за молодого смельчака и его слона. И они сыграли бы точно так же! Точно так же и не иначе! Шах! Хотя хладнокровный анализ ситуации,

возможно, обнаружил бы, что у белых есть много возможностей для защиты, но это никого уже не интересует. Они больше не желают трезво анализировать, теперь они хотят видеть только блестящие подвиги, гениальные атаки и мощные марш-броски, которые уничтожат противника. Игра — эта игра — имеет для них только один смысл и один интерес: они хотят видеть победу молодого незнакомца, хотят видеть старого матадора поверженным в прах.

Sempé.

Жан колеблется и размышляет. Он знает, что никто не поставит на него ни единого су. Но не знает почему. Он не понимает, что остальные — тоже опытные игроки — не замечают, насколько сильна и надежна его позиция. К тому же у него несомненный перевес: три пешки и ферзь. Как они могут думать, что он проиграет? Он не может проиграть! Или все-таки может? Неужто он ошибается? Может, прошляпил что-то? Неужто остальные видят больше, чем он? Он начинает нервничать. Может, он не заметил ловушки, в которую угодит очередным ходом? Где ловушка? Ее нужно избежать. Нужно вывернуться. Во всяком случае он продаст свою шкуру как можно дороже...

И еще более трусливо цепляясь за правила искусства, еще осторожнее, еще осмотрительнее Жан взвешивает и просчитывает варианты, пока не решается увести коня и поставить его между королем и слоном, так что черный слон оказывается под ударом белого ферзя.

Ответный ход черных следует без промедления. Черные не прерывают застопоренной атаки, а подводят подкрепление: их конь прикрывает теснимого слона. Публика ликует. И теперь следует

UN SEUL
ÊTRE VOUS
MANQUE ET
TOUT EST
DÉPEUPLÉ.
WAOU!
DONG!
sempé.

обмен ударами: белые приводят на помощь слона, черные бросают вперед ладью, белые выводят второго коня, черные — вторую ладью.

Обе стороны собирают силы вокруг поля, на котором стоит черный слон; это поле, на котором черный слон все равно ничего не смог бы предпринять, становится почему-то центром битвы — так угодно черным. И каждый ход развивающих атаку черных и вывод нового слона теперь совершенно открыто и громогласно приветствуется публикой, и каждый ход, которым белые ведут вынужденную защиту, встречается нескрываемым ропотом. А затем черные, снова вопреки всем правилам искусства, начинают каскад убийственных разменов. Такое упорное продолжение резни, говорится в учебнике, вряд ли даст преимущество уступающему в живой силе игроку. И все-таки черные начинают размен, исторгая у публики вопль восхищения. Она еще никогда не переживала такого побоища. Черный беспощадно косит все, что оказывается в пределах досягаемости, пренебрегает собственными потерями, одна за другой гибнут пешки, под восторженные аплодисменты компетентной публики летят кони, ладьи и слоны...

После семи-восьми ходов и ответных ходов поле битвы пустеет. Итог сражения выглядит разгромным для Черного. У него осталось три фигуры, а именно король, ладья и одна-единственная пешка. Белые же спасли из Армагеддона не только короля и ладью, но и своего ферзя и четыре пешки. Для каждого понимающего наблюдателя этой картины не может быть больше никакого сомнения, кто выиграет партию. И в самом деле... сомнения нет. Ибо – судя по боевому пылу возбужденных зрителей, по их разгоряченным физиономиям – они, несмотря на разгром, убеждены в победе своего человека. Они все еще готовы поставить на него любую сумму и в бешенстве отвергнуть даже намек на возможное поражение.

А молодой человек, похоже, нисколько не впечатлен катастрофическим положением. Ход за ним. Он спокойно берет свою ладью и перемещает ее направо на одно поле. И снова компания замирает. И у взрослых мужчин выступают на глазах слезы преданности этому гению. Вот так же окончилась битва под Ватерлоо, когда император послал в давно проигранный бой свою лейб-гвардию. Черный бросается в последнюю атаку со своим последним офицером!

Дело в том, что белый король стоит на первой линии на g1, а перед ним на второй линии – три пешки, так что король оказался бы зажатым и подвергся смертельной угрозе, если бы Черному удалось – как он, очевидно, и намеревается поступить – прорваться следующим ходом ладьи на первую линию.

Но эта возможность поставить противнику шах и мат, самая известная и самая банальная, так и хочется сказать, самая детская из всех возможностей, может привести к успеху только при условии, что противник не заметит очевидной опасности и не примет встречных мер, из коих самая эффективная заключается в том, чтобы открыть ряд пешек и дать королю свободу перемещения; пытаться же поставить мат опытному игроку, и даже продвинутому новичку, с помощью этого игрушечного трюка по меньшей мере легкомысленно. И все же захваченная зрелищем публика восхищается геройским ходом, словно видит его первый раз. В безграничном своем изумлении они важно качают головой. Они, конечно, знают, что теперь белые должны совершить капитальную ошибку, чтобы Черный добился успеха. Но они в это верят. Они действительно верят в то,

что Жан, местный матадор, который побил их всех, который никогда не позволяет себе ни малейшей слабости, совершит такую детскую ошибку. Более того: они надеются. Уповают. Они жарко молятся в сердце своем, чтобы Жан совершил эту ошибку...

А Жан размышляет. Задумчиво качает головой, взвешивает, сопоставляет шансы, он всегда такой, всегда тянет... Наконец его дрожащая, заляпанная пигментными пятнами рука протягивается, берет стоящую на g2 пешку и переносит ее на g3.

Часы на башне Сен-Сюльпис бьют восемь. Остальные шахматисты Люксембургского сада давно разошлись, аттракционы закрылись. Только в центре павильона вокруг двух игроков еще толпится группа зрителей. С тупым изумлением они пялятся на шахматную доску, где маленькая белая пешка припечатала поражение черного короля. И они все еще не желают верить своим глазам. Они отводят коровьи взгляды от позорной картины разгрома, от бледного, вдохновенного и прекрасного полководца, неподвижно сидящего на садовом стуле. «Ты не проиграл, — читается в этих коровьих

взглядах, — сейчас ты совершишь чудо. Ты с самого начала предвидел это положение, ведь ты же сам его создал. Сейчас ты уничтожишь противника. Мы не знаем, как ты это сделаешь, откуда нам знать, мы простые шахматисты, мы вообще ничего не знаем. Но ты... ты волшебник, ты умеешь творить чудеса и сотворишь чудо. Не разочаровывай нас! Мы в тебя верим. Сотвори чудо, кудесник, сотвори чудо и победи!»

Молодой человек просто сидел и молчал. Потом большим пальцем просунул кончик сигареты между указательным и средним пальцем и сунул ее в рот. Прикурил, затянулся, выпустил дым над шахматной доской, погрузил руку в дым, взмахнул ею над черным королем и опрокинул фигуру.

Это в высшей степени вульгарный и дурной жест, когда в знак собственного поражения опрокидывают короля. Это все равно что задним числом разрушить всю игру. И опрокинутый король ударяется о доску с отвратительным стуком, который отдается острой болью в сердце каждого шахматиста.

Молодой человек, опрокинув презрительным щелчком короля, поднялся, не

удостоив взглядом ни публику, ни противника, и, не попрощавшись, пошел прочь.

Ошеломленные, пристыженные зрители беспомощно глядели на доску. Через некоторое время кто-то из них перевел дух, задвигался, закурил. Который час? Уже четверть девятого? Господи, как поздно! До свидания. Салют, Жан! Они пробормотали какие-то извинения и быстро испарились.

Местный матадор остался один. Он поднял опрокинутого короля и начал собирать в ящичек фигуры, сначала сраженные, потом оставшиеся на доске. И, занимаясь этим делом, он по привычке прокручивал в памяти отдельные ходы и позиции партии. Он не сделал ни единой ошибки, конечно нет. И все-таки ему казалось, что так плохо он еще никогда не играл. Уже в самом начале игры, после первых ходов, надо было поставить мат. Только полный невежда в шахматной игре мог предложить ферзевый гамбит. Обычно Жан расправлялся с такими новичками легко и без малейших колебаний, обходясь с ними милосердно или безжалостно — в зависимости от настроения. На этот раз его явно обмануло

чутье: он не распознал настоящей слабости противника — или просто струсил? Не разобрался сразу, как положено, с нахальным шарлатаном?

Нет, дело обстояло еще хуже. Он не захотел представить себе, что противник настолько плох. И еще хуже: почти до самого эндшпиля он готов был поверить, что ему далеко до незнакомца. Самоуверенность, гениальность и ореол юности казались непобедимыми. Но и это еще не все: если честно, то Жан должен признаться самому себе, что восхищался незнакомцем не меньше, чем остальные, он даже желал, чтобы тот победил и самым впечатляющим и гениальным образом наконец-то научил бы его, Жана, терпеть поражение, ведь Жан уже столько лет ожидает проигрыша, он устал быть самым сильным и непременно всех побеждать, пусть бы зрители, эти мерзкие зеваки, эти завистливые бандиты, наконец угомонились и оставили его в покое...

Но потом он, конечно, все-таки снова выиграл. И эта победа была самой отвратительной в его карьере, ведь чтобы ее избежать, он в течение всей игры отрекался от себя и унижался и пытался сложить оружие перед презреннейшим халтурщиком в мире.

sempé

Жан, местный матадор, не слишком разбирался в вопросах морали. Но когда он плелся домой с шахматной доской под мышкой и ящичком для фигур в руке, ему было совершенно ясно, что на самом деле сегодня он потерпел поражение, ужасное и окончательное: за него нельзя было взять реванш и его не могла отменить никакая, пусть самая блистательная победа в будущем. И потому Жан принял решение — хотя вовсе не был человеком, принимающим кардинальные решения, — покончить с шахматами раз и навсегда.

BUS

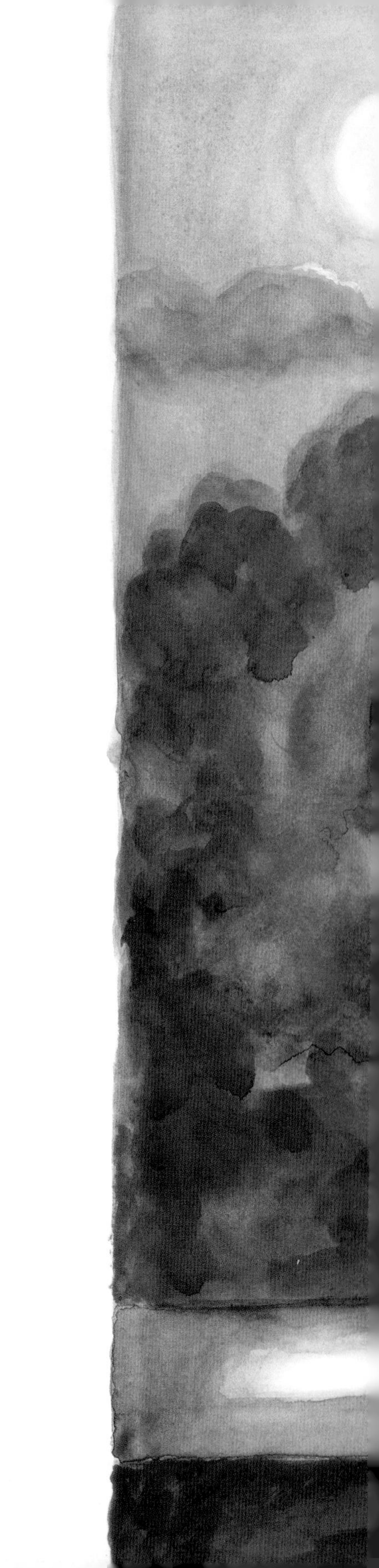

ПАТРИК ЗЮСКИНД родился в 1949 году в Баварии, в небольшом городке Амбах. В 1968 году по окончании школы он начал изучать средневековую и новую историю в университете Мюнхена. Потом учился в Экс-ан-Провансе. Менял профессии: зарабатывал на хлеб в патентном отделе фирмы «Siemens», был тапером, тренером по настольному теннису. Он писал короткие рассказы, которые не публиковались, и сценарии, так и не ставшие фильмами. Первый успех Зюскинду принесла пьеса-монолог «Контрабас» (1981). Ее три года спустя напечатало издательство, а год спустя там же вышел роман «Парфюмер. История одного убийцы» (1985). Впервые на русском языке роман был опубликован в восьмом номере журнала «Иностранная литература» за 1991 год в переводе Эллы Венгеровой. «История одного убийцы» рассказывает о жизни человека, чьи «гениальность и феноменальное тщеславие ограничивались сферой, не оставляющей следов в истории, — летучим царством запахов». Ныне роман переведен на полсотни языков, а в 2006 году режиссер Том Тыквер снял фильм по его мотивам. Перу Зюскинда также принадлежит «Повесть о господине Зоммере» и рассказы.

*Итак, он все-таки есть: немецкий писатель, владеющий немецким языком; современный рассказчик, умеющий рассказывать; романист, не обременяющий нас созерцанием собственного пупка; молодой автор, не навевающий скуку.*

*Марсель Райх-Раницки*

ЖАН-ЖАК СЕМПЕ — гений карикатуры, один из наиболее знаменитых мультипликаторов планеты, яркий, талантливый график, классик книжной иллюстрации, родился в 1932 году в пригороде Бордо. Семья его была, мягко говоря, небогатой, отец вечно сидел без работы. Жан-Жака исключили из коллежа. Экзамены, которые давали допуск к работе на почте, в банке и на железной дороге, он не сдал... Пришлось полтора года развозить на велосипеде различные товары. В восемнадцать Семпе решил стать художником и жить в Париже. Ему удавалось публиковать под разными псевдонимами юмористические рисунки и карикатуры. А в 1956-м они с писателем Сержем Госсини напечатали первый выпуск «Маленького Николя». Так началась его карьера. Семпе сотрудничал с крупнейшими периодическими изданиями Франции, водил дружбу с актерами и музыкантами, поэтами и политиками. Раз в год выпускал альбом со своими новыми рисунками

...В его картинках детская непосредственность сочетается с прелестной иронией и поэтическим настроением... Его работы — от «Маленького Николя» до авторских альбомов и эскизов к новым монетам евро — неизменно вызывают восторг зрителей.

**Зюскинд П.**

З 98 Сражение : рассказ/ Патрик Зюскинд ; пер. с нем. Э. Венгеровой. — СПб. : Азбука, Азбука-Аттикус, 2019. — 80 с. : ил.

ISBN 978-5-389-17187-9

Эта классическая короткая новелла, взятая из сборника рассказов Патрика Зюскинда «Три истории и одно наблюдение», теперь публикуется в новом издании с замечательными иллюстрациями Жан-Жака Семпе. Двое мужчин сидят за шахматной доской в Люксембургском саду в Париже. Один из них — гениальный выскочка, другой — пожилой чемпион, играющий в традиционной манере. Наступает время аперитива, но никто из зрителей даже не думает покинуть сцену. Кого из игроков предпочтут зрители? И какой король падет первым?

**УДК 821.112.2(494)**
**ББК 84(4Шва)-44**

Литературно-художественное издание

ПАТРИК ЗЮСКИНД

СРАЖЕНИЕ

Ответственный редактор Галина Соловьева
Художественный редактор Вадим Пожидаев
Технический редактор Татьяна Раткевич
Корректор Лариса Ершова

Главный редактор Александр Жикаренцев

Подписано в печать 29.10.2019.
Формат издания 60 × 100 $^{1}/_{16}$. Печать офсетная.
Тираж 4000 экз. Усл. печ. л. 5,55. Заказ № 8380/19.

Знак информационной продукции
(Федеральный закон № 436-ФЗ от 29.12.2010 г.):

ООО «Издательская Группа „Азбука-Аттикус“» —
обладатель товарного знака АЗБУКА®
115093, г. Москва, ул. Павловская, д. 7, эт. 2, пом. III, ком. № 1

Филиал ООО «Издательская Группа „Азбука-Аттикус“»
в Санкт-Петербурге
191123, г. Санкт-Петербург, Воскресенская наб., д. 12, лит. А

ЧП «Издательство „Махаон-Украина“»
Тел./факс: (044) 490-99-01. E-mail: sale@machaon.kiev.ua

Отпечатано в соответствии с предоставленными материалами
в ООО «ИПК Парето-Принт».
170546, Тверская область, Промышленная зона Боровлево-1,
комплекс № 3А. www.pareto-print.ru